D1205366

Sophie et les extra-terrestres

Sophie et les extra-terrestres

Texte
HENRIETTE MAJOR

Illustrations
GARNOTTE

ÉDITIONS HÉRITAGE
MONTRÉAL

Données de catalogage avant publication (Canada)

Major, Henriette, 1933–

Sophie et les extra-terrestres

(Pour lire avec toi).
Pour enfants.

ISBN 2-7625-4496-3

I. Titre.   II. Collection.

PS8576.A46S66 1990   JC843'.54   C90-096300-X
PS9576.A46S66 1990
PZ23.M34So 1990

Conception graphique de la couverture : Dufour et Fille
Illustrations couverture et intérieures : Garnotte (Michel Garneau)

Dépôts légaux : 3e trimestre 1990
Bibliothèque nationale du Québec
Bibliothèque nationale du Canada

ISBN : 2-7625-4496-3 (édition cartonnée)
ISBN : 2-7625-7013-1 (édition souple)

Imprimé au Canada

Photocomposition : Deval Studiolitho Inc.

LES ÉDITIONS HÉRITAGE INC.
300, Arran, Saint-Lambert, Québec J4R 1K5
(514) 875-0327

Distribué en Europe par Gamma Jeunesse,
Tournai, Belgique

Moi, j'aime les livres parce que j'aime les histoires. Quand on lit une histoire, c'est comme si on entrait dans une maison et qu'on surprenait les gens au milieu de leurs activités. Mais ces activités, elles ont commencé bien avant qu'on entre. Et elles ont été amenées par d'autres actions avant et encore avant.

C'est pour ça que mon histoire d'extraterrestres, je crois qu'elle a commencé bien avant que j'en rencontre pour vrai. Elle a commencé quand je me suis mise à lire des romans de science-fiction. Je ne lisais plus que ça. J'étais devenue maniaque. C'est pour ça que le jour où j'ai trouvé un message des extraterrestres, je n'ai pas du tout été surprise. Mais commençons par le commencement.

1

LE PROJET

C'était au début de juin. Il faisait bien trop beau pour aller à l'école. Pourtant, c'est quand même à l'école que je m'en allais en compagnie de mon ami Antoine.

Tout en marchant, je lui racontais le livre que j'étais en train de lire, les aventures d'une fille et d'un garçon qui avaient trouvé deux extra-terrestres dans leur piscine. Ces êtres vivaient dans l'eau comme les poissons. Leur soucoupe volante, c'était un aquarium volant. J'en étais au moment où les extra-terrestres tentent de communiquer avec les humains à l'aide de bulles soufflées dans l'eau quand Antoine m'a interrompue.

— Au mois de juillet, je vais au camp Aventure, dit-il.

— Qu'est-ce que c'est, le camp Aventure?

— C'est une colonie de vacances pour ceux qui aiment les sciences naturelles. On fait des excursions dans la forêt, on ramasse des plantes et des «bibittes», et aussi il y a une ferme avec plein d'animaux, et...

— Plein d'animaux? Eh! c'est intéressant! J'aimerais bien ça y aller moi aussi...

— Tu n'as qu'à demander à tes parents, a suggéré Antoine.

— Ah! mes parents, je sais ce qu'ils vont dire: «Ça coûte trop cher. Tu dois aller faire du camping avec ton père. Il faut que tu t'occupes de ton petit frère… » Mes parents, ils veulent jamais rien !

— Ah ! les parents ! a soupiré Antoine.

— Oui, les parents ! Si on pouvait en changer de temps en temps…

— Hé, c'est une idée, ça ! Si on pouvait changer de parents comme les parents changent de voiture…

— Moi, je choisirais les parents de Chantal : comme ça, j'aurais plein de belles robes…

— Des robes ? Mais, tu n'en portes presque jamais.

— Oui, mais si j'avais des belles robes, je pourrais ouvrir la porte de ma garde-robe et les montrer à ma cousine Julie qui me snobe tout le temps. Et toi, Antoine, quels parents choisirais-tu si tu pouvais le faire ?

— Moi? Heu… je crois que je choisirais les tiens : comme ça, j'aurais un frère et une soeur au lieu d'avoir seulement une couleuvre.

— D'abord, tu devrais aller soit avec mon père, soit avec ma mère parce que mes parents sont séparés. Et puis, quand les parents sont séparés, tu as finalement trop de parents parce que l'amie de ton père joue à la mère et l'ami de ta mère joue au père. C'est bien compliqué.

— Hum… tu as raison. Je crois que je vais garder mes vieux parents. Ça fait tellement longtemps que je les ai… je suis habitué à eux.

— Et puis, avec ma mère, tu ne pourrais pas garder Hortense parce que ma mère ne peut pas supporter les couleuvres ni les autres animaux.

— À bien y penser, j'aime mieux avoir une couleuvre qu'un frère ou une soeur : ça fait moins de bruit et c'est moins salissant.

J'ai soupiré :

— Ouais ! En fin de compte, c'est mieux de garder nos vieux parents.

Soudain, Antoine s'est arrêté, les mains dans les poches et le nez en l'air : c'est comme ça qu'il réfléchit, Antoine. Il m'a dit d'un air inspiré :

— Tu sais, même si j'aime bien Hortense, des fois, je me dis que... Hé ! crois-tu que les parents, ils auraient parfois envie de changer d'enfants ?

J'étais indignée.

— Nos parents, ils nous ont eus, ils ont rien qu'à nous endurer ! me suis-je écriée.

— Oui, mais des fois, ils en ont plein le dos, comme dit mon père. C'est pour ça qu'on a inventé les écoles et les colonies de vacances : pour que les parents puissent prendre congé de leurs enfants.

— Hum ! Je pourrais dire ça à ma mère, qu'elle a besoin de prendre des vacances de moi, pour la convaincre de m'envoyer au camp Aventure. Et puis, je veux devenir vétérinaire quand je serai grande, et comme elle ne veut pas de chien dans la maison, ni de chat, ni de hamster ni rien, il faudra bien que je trouve des animaux quelque part pour pratiquer.

On arrivait chez Antoine. Je suis entrée pour dire bonjour à sa couleuvre Hortense qui est aussi mon amie. Antoine m'a montré un dépliant publicitaire du camp Aventure : on y voyait des photos d'enfants en train de flatter des chèvres et des lapins, d'autres qui se baignaient dans un lac ou qui marchaient à la queue leu leu dans un bois. Il y avait aussi une fille à côté d'un cheval avec un gros chou de ruban sur la poitrine (la poitrine de la fille, pas celle du cheval).

— Elle a l'air « kétaine » cette fille avec son chou de ruban, ai-je commenté.

— Elle n'est pas « kétaine » : elle vient de gagner un concours d'équitation.

— Un concours d'équitation ? Tu veux dire que cette fille a monté sur ce beau cheval et qu'elle lui a fait faire des sauts et des courses ? Alors, si je vais au camp Aventure, moi aussi je pourrais monter à cheval ?

— Bien sûr. Il y a des chevaux au camp Aventure : tous les campeurs prennent des leçons d'équitation.

Aussitôt, je me suis vue galopant dans la prairie à la poursuite d'un bandit masqué comme dans les films de cow-boys à la télévision. J'aurais un grand chapeau et des bottes et mon cheval s'appellerait Crin Blanc comme dans l'histoire du même nom. Avant, je voulais un chien. Maintenant, je voulais un cheval. J'ai déclaré :

— Il faut absolument que j'aille au camp Aventure pour apprendre à monter à cheval, mais je suis sûre que ma mère ne voudra pas. Peut-être que je pourrais lui promettre de faire le ménage de ma chambre, et même de ma garde-robe, et même, même de mes tiroirs…

— Tu devrais plutôt lui montrer le dépliant, a suggéré Antoine.

— Tu veux bien me le prêter ?

— Tu peux le garder, je le connais par coeur, a-t-il répondu avec un petit sourire en coin.

J'aime quand Antoine sourit comme ça : ça veut dire qu'il m'aime bien, et moi, j'aime qu'il m'aime bien. Antoine, c'est mon meilleur meilleur ami.

2

LA FILLE PARFAITE

En rentrant chez moi, j'avais très envie de me plonger dans mon livre sur les extra-terrestres, mais j'ai plutôt décidé de faire tout de suite mes devoirs. C'est ce que ma mère me recommande tout le temps avant de partir pour son travail. C'est très difficile parce que quand on rentre de l'école, on a envie d'autre chose qu'encore des affaires d'école. Alors d'habitude, je trouve toutes sortes de bonnes raisons pour flâner ou pour faire ce que j'ai envie de faire. Mais à cause du camp Aventure, je voulais devenir une fille parfaite. « Si je suis une fille parfaite, maman sera tellement secouée qu'elle dira oui pour le camp Aventure, sans même s'en apercevoir », me suis-je dit.

J'ai donc fait tous mes devoirs sans rien laisser de côté, même pas les problèmes de mathématiques. Comme je finissais, mon frère Bertrand est entré dans ma chambre. Il a mis ses mains pleines de chocolat sur mon jeu de Lego en disant :

— Hé ! Sophie, tu veux bien me le prêter ? Tu ne joues plus jamais avec.

C'est vrai que je ne joue plus avec, mais ce jeu, j'y tiens parce qu'il me rappelle de bons souvenirs. J'ai pris une grande respiration. Je n'ai pas crié après mon frère. J'ai répondu gentiment :

— Si tu veux jouer aux Lego, il faut d'abord te laver les mains.

Je l'ai mené à la salle de bains et je l'ai débarbouillé comme il faut. Après, j'ai apporté *mon* jeu de Lego dans *sa* chambre, puis je l'ai aidé à construire une fusée spatiale pour aller explorer

les autres planètes. Bertrand n'en revenait pas de me voir si aimable. Il m'a sauté au cou et m'a embrassée très fort en disant :

— Tu es ma plus gentille soeur !

Ce n'est pas difficile puisque je suis sa seule soeur. C'est quand même agréable d'être une fille et une soeur parfaites. Pendant qu'il terminait sa fusée spatiale, je suis allée à la cuisine où Régina, notre gardienne, était en train de préparer le souper.

— Veux-tu que je mette la table? lui ai-je proposé.

— Te voilà bien serviable tout à coup, m'a-t-elle répondu d'un ton surpris. Ça tombe bien parce que ta mère a téléphoné pour dire qu'elle amène quelqu'un de son bureau. Tu mettras un couvert de plus et les napperons de toile.

— Les napperons de toile avec des fleurs brodées dessus que ma mère a rapportés de son voyage au Mexique? Fiou! Ce doit être quelqu'un d'important qu'elle invite à souper! Pour le monde ordinaire, on met toujours les napperons en plastique avec les bords tout effilochés.

— Je ne sais pas qui c'est, a repris Régina, mais ta mère avait l'air bien excitée. Elle m'a même demandé d'acheter du vin et des olives.

— Oh! oh! du vin et des olives... Je fais mieux d'aller me peigner.

— C'est une bonne idée. Tu pourrais aussi changer de chandail : le tien a une grosse tache brune juste sur le devant. Je croyais que tu n'aimais pas le chocolat.

— C'est la faute de Bertrand... ai-je commencé d'un ton pleurnichard.

Mais je me suis reprise aussitôt :

— Ce n'est pas grave, je vais aller me changer tout de suite, a répondu la fille parfaite que j'étais en train de devenir.

Régina m'a regardée en secouant la tête : je suis sûre qu'elle se demandait si je n'étais pas malade.

En fouillant dans mes affaires, j'ai trouvé une blouse rose avec un col en dentelle. Je l'avais mise seulement une fois pour aller au mariage de ma tante Louise. Je la déteste (la blouse, pas ma tante). Quand ma mère me l'a achetée, je lui ai dit :

— Je vais avoir l'air d'un bonbon à la fraise là-dedans.

— Mais non, tu auras l'air d'une vraie fille, avait répondu la vendeuse.

— Je ne suis pas d'accord : ce n'est pas l'emballage qui compte avait répliqué ma mère en me caressant les cheveux. Les vraies filles ne ressemblent pas toutes à des poupées.

J'avais été tellement reconnaissante à ma mère pour cette remarque que j'avais porté la blouse rose sans rechigner. En tout cas, j'étais contente de la retrouver (la blouse, pas ma mère) : « C'est un vêtement parfait pour une fille parfaite », me disais-je en poussant l'ourlet à l'intérieur de la ceinture de mon jean.

Je suis revenue en courant dans la cuisine pour faire voir à Régina comment j'étais parfaite. Juste à ce moment-là, Bertrand arrivait en courant de son côté pour montrer à Régina sa fusée en Lego. Bang ! il y a eu collision. Les Lego se sont envolés partout, jusque dans les casseroles où mijotaient toutes sortes de bonnes choses. Régina s'est mise à crier et Bertrand à pleurer. Moi, en bonne fille parfaite, je n'ai pensé qu'à ramasser les Lego. Ça faisait pas mal de branle-bas, d'autant plus que la sauce que Régina avait dû négliger pour consoler Bertrand avait collé au fond de la casserole.

— Ça y est ! s'est-elle lamentée, ma sauce est pleine de grumeaux !

— Eh bien, tu n'auras qu'à dire que c'est une sauce aux grumeaux, ai-je suggéré.

Régina n'a pas eu le temps de répliquer : ma mère arrivait. Avec elle, il y avait un grand monsieur barbu. Ma mère n'a pas vu que Régina était tout échevelée et rouge comme une tomate, que Bertrand avait les joues barbouillées de larmes et que ma belle blouse rose était sortie de mon jean. Elle n'a rien vu de tout ça parce qu'elle regardait seulement le grand barbu. Elle a dit en le mangeant des yeux :

— Les enfants, voici Jean-Marc.

Le barbu a souri en grattant sa barbe, puis il m'a donné une petite tape sur la tête comme on fait à un chien. Ensuite, il a pris Bertrand dans ses bras et il l'a embrassé. Alors je lui ai dit :

— Moi, j'aime pas les barbes. Ça pique et ça fait malpropre.

— Sophie a un sens de l'humour un peu particulier, a soupiré ma mère.

3

LE VISITEUR

Régina était partie comme chaque soir quand ma mère arrive. Moi et Bertrand, on avait faim, mais on n'a pas mangé tout de suite. Ma mère et le barbu se sont installés au salon pour grignoter des olives en prenant un apéritif. J'en ai profité pour aller chercher le dépliant du camp Aventure et pour le placer bien en vue à côté de l'assiette de ma mère. « Peut-être que devant la visite, elle n'osera pas sortir ses arguments contre, me suis-je dit. Les parents, ils sont presque toujours aimables avec les enfants quand il y a de la visite. »

Enfin, on est passés à table. Le barbu essayait d'être gentil avec nous. Il posait toutes sortes de questions plates, comme par exemple :

— Quel âge as-tu ?

Commentaire après la réponse :

— Oh ! tu es une grande fille !

Et à ma mère :

— Elle est bien petite pour son âge.

Là-dessus, j'ai déclaré :

— C'est parce que ma mère me force à me laver trop souvent : je rétrécis au lavage.

Il n'a pas ri : il a juste gratté sa barbe.

— Et comment ça va à l'école ? a-t-il enchaîné.

C'est ce que demandent toutes les grandes personnes qui ne savent pas quoi dire aux enfants. Quelle question bête! À l'école, des fois ça va bien et des fois, ça va mal. Des fois, je suis tout excitée parce que j'apprends des choses excitantes; des fois, je m'ennuie à mort parce qu'on fait des problèmes pendant qu'il fait beau dehors. Des fois, tous les élèves sont mes amis et d'autres fois, même mes amis ne sont plus mes amis parce qu'on s'est chicanés. Alors quand le barbu m'a demandé comment ça va à l'école, j'ai répondu :

— Ça va super bien: ma maîtresse d'école est une extra-terrestre et elle nous apprend à communiquer avec sa planète.

Ma mère a soupiré en disant:

— Sophie a beaucoup d'imagination.

À quoi mon frère a répliqué:

— Ben non, elle conte des menteries.

Soudain, le barbu s'est mis à tousser en devenant tout rouge.

— Il a dû s'étouffer avec un grumeau, ai-je tenté d'expliquer.

Ma mère lui a tapé très fort dans le dos. Finalement, le barbu a craché une pièce de Lego.

— Oh! s'est écriée ma mère, encore une de tes étourderies, Sophie. C'est à toi le jeu de Lego. Tu fais tout pour te rendre insupportable!

— C'est pas juste! que j'ai alors crié. Le jeu de Lego, je l'avais prêté à Bertrand et c'est sa fusée à lui qui a explosé dans les casseroles. C'est même moi qui ai ramassé les dégâts. Oh! à quoi ça sert d'être une fille parfaite!

— Pour une fille parfaite, je trouve que tu cries bien fort, a remarqué le barbu.

— En effet, calme-toi, Sophie, a ajouté ma mère en essuyant la sauce qui s'était renversée sur le dépliant à côté de son assiette. Qu'est-ce que c'est que ce papier?

— C'est le dépliant du camp Aventure, ai-je soupiré.

— Le camp Aventure?

— C'est une colonie de vacances où il y a plein d'animaux, et même des chevaux, et même Antoine...

— Antoine, c'est un cheval? a demandé le barbu.

— Mais non, Antoine, c'est un garçon: c'est mon meilleur ami, avec Hortense.

— Hortense: c'est un prénom bien vieillot pour une petite fille.

— Hortense, ce n'est pas une petite fille, c'est une couleuvre. Je vais jouer avec elle tous les jours.

— Ah bon!

Le barbu avait l'air plutôt perdu.

— Sophie aime beaucoup les animaux, a précisé ma mère.

— Hum! une couleuvre, est-ce bien hygiénique? a-t-il commenté en se grattant la barbe.

— C'est plus hygiénique que les barbes, ai-je répliqué en me levant de table et en faisant tomber ma chaise par la même occasion.

Ma mère en a attrapé le hoquet.

— Qu'est-ce que ça veut dire, égénique? a demandé mon frère.

Personne ne lui a répondu. Ma mère a retrouvé la voix pour me dire :

— Sophie, excuse-toi tout de suite.

— Pourquoi je m'excuserais? C'est vrai que les barbes, c'est pas hygiénique. Ça ramasse toutes sortes de saletés : la preuve, ton barbu passe son temps à la gratter, sa barbe.

Là-dessus, le barbu a discrètement nettoyé sa barbe où il y avait justement un grumeau pris dans les poils. Ma mère s'est écriée :

— Sophie, va dans ta chambre.

Je suis sortie en criant :

— J'ai fait mes devoirs en arrivant de l'école. J'ai prêté mon jeu de Lego à Bertrand. J'ai mis la table. Je porte ma belle blouse rose avec un col en dentelle. J'ai été parfaite, enfin, presque parfaite et malgré tout ça, tu ne voudras pas que j'aille au camp Aventure. C'est sa faute à lui, ai-je terminé en pointant son invité.

En entrant dans ma chambre, j'ai claqué la porte : « Ouf ! me suis-je dit, ça fait du bien de ne plus être une fille parfaite ! »

4

LE DÉPART

— J'ai changé d'idée : je ne veux plus aller au camp Aventure, ai-je déclaré à ma mère, alors qu'elle me conduisait au terminus d'autobus.

— Tu ne crois pas qu'il est un peu tard pour y penser ? a-t-elle demandé. Ça fait quinze jours qu'on prépare tes bagages. Je t'ai acheté un sac de couchage, un nouveau maillot de bain, un sac à dos…

— Moi aussi j'en veux un sac en nylon rouge, a pleurniché mon frère assis sur la banquette arrière.

— Ça fait quinze jours que je couds des étiquettes sur tes vêtements…

— Moi aussi j'en veux, des étiquettes, a continué mon frère. Je veux aller au camp Venture avec Sophie.

— Bertrand, je t'ai expliqué que tu es trop petit pour aller en colonie de vacances, a répliqué ma mère d'un ton patient. Tu vas venir au bord de la mer avec Jean-Marc et moi.

— J'aimerais mieux aller au bord de la mer, moi aussi, ai-je marmonné en reniflant.

— Écoute, Sophie, tu m'as cassé les oreilles pendant des jours au sujet du camp Aventure. Je comprends que le départ te rende un peu nerveuse, mais une fois là-bas, je suis sûre que tu vas t'amuser. Pense à tous ces animaux qui t'attendent.

En songeant aux animaux, je me suis écriée :

— Il faut retourner à la maison ! J'ai oublié mon crocodile gonflable pour jouer dans l'eau.

— Les jouets gonflables ne sont pas permis au camp. D'ailleurs, tu es bien trop grande pour ce genre de flotteur, et puis tu as ton nouveau gilet de sauvetage. Cesse de t'agiter, Sophie, nous voici à la gare d'autobus. Tu sais, ça arrive à tout le monde de vouloir quelque chose et en même temps, de ne pas le vouloir.

— Ça t'arrive à toi aussi ?

— Bien sûr !

Alors, j'ai pensé : « Moi qui croyais que les grandes personnes savaient toujours ce qu'elles veulent… »

L'autobus du camp Aventure était facile à reconnaître : il était entouré d'enfants avec des sacs à dos de toutes les couleurs et de parents qui gesticulaient. Il y avait aussi des moniteurs et des monitrices avec des chapeaux blancs et des sifflets. Ma mère a abordé une monitrice et s'est mise à lui expliquer tous mes petits caprices.

J'ai aperçu Antoine parmi un groupe d'enfants et j'ai couru le rejoindre. Il portait Hortense dans un petit panier car on lui avait permis de l'amener.

Un grand type en short kaki a commencé l'appel : à mesure qu'on était nommé, il fallait monter dans l'autobus. En attendant mon tour, je me suis tout à coup demandé : « Ai-je bien pensé d'apporter mes livres de science-fiction que mon père m'a donnés pour lire en vacances ? » Je suis allée m'installer dans un coin de la gare et j'ai commencé à sortir mes affaires de mon sac. Ah ! les deux livres étaient bien là, tout au fond. J'étais en train de les feuilleter pour décider lequel je lirais en premier, quand ma mère est arrivée, tout essoufflée.

— Sophie ! Sophie ! Qu'est-ce que tu fais là ? L'autobus est prêt à partir !

En voyant mes affaires étalées sur trois fauteuils, elle a pris sa tête dans ses mains. Puis, elle m'a aidée à tout remettre dans le sac à dos. C'est drôle, on aurait dit qu'il y avait plus d'affaires qu'avant : on n'arrivait plus à boucler le sac. Ma mère m'a glissé un chandail bleu et une serviette de bain sous le bras en disant :

— Tu te débrouilleras avec ça.

On a couru vers l'autobus où tous les enfants étaient déjà installés. Le grand type en short kaki nous attendait, les poings sur les hanches. J'aurais voulu m'asseoir près d'Antoine, mais il y avait déjà un garçon à lunettes à côté de lui.

Je me suis retrouvée tout au fond de l'autobus près d'une grosse monitrice au visage rempli de taches de rousseur. Elle m'a dit :

— Je m'appelle Isabelle.

Quand l'autobus a démarré, j'ai aperçu ma mère qui pleurait en se mouchant. Alors j'ai

senti comme une boule dans ma gorge. Le grand moniteur s'est mis à chanter : « Au camp Aventure, on aime la nature… » J'ai chanté moi aussi : « Au camp Aventure, on aime la nature… » tout en me disant : « Sophie, ma fille, tu as voulu aller au camp Aventure, eh bien, tu y vas. » C'est drôle, des fois on dirait que vouloir quelque chose c'est encore plus amusant que de l'avoir pour vrai…

5

L'ARRIVÉE AU CAMP

La première chose qui m'a frappée en arrivant au camp Aventure, c'était l'odeur : ça sentait comme quand on vient d'installer l'arbre de Noël dans le salon. C'est que c'était plein d'arbres de Noël, je veux dire de sapins, tout autour du camp, plusieurs grandes maisons en bois bien alignées les unes à côté des autres. Le grand moniteur aux lunettes noires nous a remis à chacun une carte représentant le terrain et l'emplacement des bâtisses. Il nous a dit de l'appeler Léo, puis il nous a fait faire le tour du camp. Il nous a montré la maison des moniteurs, le réfectoire où est-ce qu'on allait manger et les dortoirs où est-ce qu'on allait dormir. J'ai demandé :

— Puisque le dortoir, c'est la maison où on dort, pourquoi la maison où on mange, ça ne s'appelle pas la mangeoire ?

Léo s'est gratté la tête, mais il n'a pas répondu.

J'aurais voulu dormir dans le même dortoir qu'Antoine, mais il y en avait un pour les filles et un pour les garçons. J'ai donc suivi les filles dans le dortoir des filles. C'était séparé en petites chambres avec deux lits superposés dans chacune.

— Youpi ! des lits superposés ! me suis-je écriée.

Je me suis retrouvée avec Catherine, une grande brune, Cynthia, une grosse blonde et une petite rouquine toute frisée. On s'est un peu bousculées à savoir qui prendrait les lits du haut, sauf la grande brune qui a dit en s'installant sur un lit du bas :

— Enfin ! Ça fait cinq ans que je dois grimper tous les soirs pour aller me coucher. Chez moi, c'est ma soeur qui a le lit du bas parce qu'elle a le vertige.

C'est moi et la petite rousse qui avons gagné les lits du haut parce qu'on a poussé plus fort que Cynthia.

— Je m'appelle Émilie, a-t-elle dit une fois en possession de son domaine. Et toi?

— Moi, c'est Sophie.

— C'est ta première fois au camp Aventure, hein? Je ne t'ai pas vue ici l'an dernier. Moi, c'est ma deuxième fois.

— Oh! alors tu vas me dire comment ça se passe.

— D'abord, on va nous diviser en équipes. Après, on nous donnera nos tâches.

— Nos tâches?

— Oui, s'occuper des animaux, par exemple.

— S'occuper des animaux? C'est pas une tâche, ça, c'est une partie de plaisir!

— Hum… ça dépend… Et puis, il y a le grand jeu.

— Le grand jeu? Qu'est-ce que c'est?

— Je ne peux pas te le dire : c'est un secret.

Quand quelqu'un te dit « c'est un secret », c'est que le bout de la langue lui démange pour en parler.

— Tu peux bien me le dire, ai-je chuchoté à son oreille. Je suis très bonne pour garder les secrets. La preuve, c'est que je suis la seule à savoir que Léo, le grand moniteur au short kaki, c'est un vampire.

— Comment le sais-tu ? a-t-elle demandé d'un ton horrifié.

— Ça, c'est mon secret. Je te le dirai si tu me dis le tien.

— Hum... eh bien, le grand jeu, c'est une chasse au trésor. Les moniteurs et les monitrices se déguisent en pirates, et nous autres, les campeurs, on nous donne une carte avec des signes dessus et on fait une excursion dans les bois pour chercher les indices qui mènent au trésor.

— Ouais, ça me semble un peu bébé…

— Mais non : on fait l'excursion pendant qu'il fait noir et on apporte nos lampes de poche et c'est très « épeurant ». Maintenant, parle-moi de Léo. Comment sais-tu que c'est un vampire ?

— Moi, je reconnais les vampires parce que je suis un peu sorcière. Tu n'as pas remarqué qu'il porte souvent des lunettes fumées ? Tu sais bien que les vampires n'aiment pas la lumière du jour. Et puis, on n'a qu'à voir ses dents…

— C'est vrai : on dirait qu'il en a trop, et elles sont plutôt pointues et toutes croches. Crois-tu qu'il est dangereux ?

— Hum… je n'aimerais pas le rencontrer en pleine nuit. Mais c'est très facile de se protéger : on n'a qu'à porter une gousse d'ail sur soi.

— Merci de m'avoir prévenue, Sophie. Je te revaudrai ça. Tantôt on ira à la cuisine pour se munir de gousses d'ail.

À ce moment-là, on a entendu une sonnerie.

— Viens, c'est le rassemblement, a dit Émilie en m'entraînant.

* * *

Ça commençait bien : j'étais dans l'équipe des Ouaouarons avec Antoine et Émilie. Il y avait aussi dans notre équipe le garçon qui était assis à côté d'Antoine dans l'autobus. Il avait de longs bras, de longues jambes et des lunettes. Il s'appelait David. Antoine m'a dit en me le présentant :

— C'est un collectionneur d'insectes. Il connaît tout sur les « bibittes ». Je vais l'aider à en attraper.

— Je pourrais vous aider moi aussi, ai-je proposé.

— Les insectes, c'est pas des affaires de filles, a répondu David d'un air dédaigneux.

— Comment ça, pas des affaires de filles?
Qui a dit que les « bibittes » appartenaient aux
garçons?

Là, David a bafouillé :

— En tout cas, on n'a pas besoin de filles.

— Non, on n'a pas besoin de filles, a répété
Antoine en regardant David avec des yeux tout
ronds.

Je n'en revenais pas qu'Antoine me traite de
cette façon. Il m'avait trahie, moi, sa meilleure
amie. C'était la faute de cet espèce d'hurluberlu
à lunettes. Je lui ai dit :

— Ça ne m'étonne pas que tu collectionnes
les « bibittes » : tu ressembles à une sauterelle.

David a sursauté.

— Répète ça! a-t-il proféré d'un ton
menançant.

— Tu ressembles à une sauterelle, une sauterelle à lunettes, ai-je ajouté en le regardant dans les yeux, ou plutôt dans les lunettes.

Il s'est approché de moi et m'a donné une poussée. Je l'ai poussé à mon tour en lui disant :

— Si tu veux te battre, enlève tes lunettes.

Il les a enlevées posément et les a données à Antoine. Puis, il a levé les poings comme font les boxeurs quand ils sont prêts à commencer le combat. Je n'ai pas perdu de temps et j'ai foncé tête baissée dans son estomac. Après, je ne me souviens plus très bien. Je sais qu'on était par terre et qu'on roulait dans la poussière quand des moniteurs sont venus nous séparer.

On a eu droit à un petit discours, mais comme c'était le début du camp, on n'a pas été punis : le vampire nous a juste fait promettre de ne pas recommencer. Je m'en suis tirée avec quelques égratignures, mais David, lui, il avait

un oeil au beurre noir, grossi par le verre de ses lunettes.

Ce soir-là, les filles qui partageaient ma chambre ont fait leurs commentaires à propos du combat.

— Une fille ne devrait pas se battre, a dit Cynthia.

— Une fille ne devrait pas se mêler des affaires des garçons, a dit Catherine.

— Moi, je pense que j'aurais fait comme toi, Sophie, a conclu Émilie.

J'ai su alors qu'Émilie était mon amie. J'avais bien besoin d'une amie parce qu'Antoine… j'avais pensé qu'il serait mon ami pour toujours, mais il n'était plus mon ami. J'étais bien triste mais je me suis dit : « Tant pis pour lui. » Avant de m'endormir, j'ai raconté aux filles une histoire d'extra-terrestres que j'avais inventée dans ma tête.

6

LA PÉNITENCE

Je dois avouer qu'avant de partir pour le camp Aventure, j'avais un peu peur de m'ennuyer. Eh ben! après deux jours de camp, je n'avais même pas eu le temps d'y penser. On avait tellement de choses à faire qu'on en oubliait qu'on était en vacances. Les journées étaient remplies d'activités amusantes comme se baigner, ramasser des plantes et des insectes, jouer au volley-ball, tirer à l'arc ou s'occuper des animaux. Oui, c'étaient des activités bien excitantes, mais on ne les faisait pas quand on en avait envie, on les faisait quand les moniteurs l'avaient décidé. Ça me rappelait un peu l'école, mais je m'amusais quand même, surtout à cause des animaux.

Dès le premier jour, on a commencé nos tâches auprès des bêtes. Les Ouaouarons devaient s'occuper des lapins. Il fallait d'abord

les mettre dans un enclos pendant qu'on nettoyait leurs cages. J'aurais voulu les flatter et les chouchouter, mais ils bougeaient comme des diables. On a quand même réussi à les déménager. Après, on m'a donné une pelle pour ramasser les crottes.

— Ergh! Ça sent mauvais! me suis-je écriée.

Émilie s'est mise à rire.

— Tu fais mieux de t'habituer : ce sera bien pire quand tu devras nettoyer l'écurie.

Je pensais à mon ours en peluche que je suis trop grande pour jouer avec : il ne fait pas de crottes, lui. D'un autre côté, il n'a pas un petit nez rose qui bouge et il n'est pas tout chaud quand on le tient dans ses bras. « Il faut prendre ce qui va avec », comme dit ma mère ; il faut donc prendre les odeurs qui vont avec les vrais animaux.

Quand la cage a été bien propre, on y a remis les lapins et on leur a donné à manger. Alors j'ai pu les flatter à mon goût. C'est tellement doux, de la fourrure de lapin. C'est plus doux encore que de la peau de bébé. C'est drôle, quand on caresse de la fourrure, ça donne chaud partout et c'est bon. Peut-être qu'au lieu d'un chien, j'aurais pu demander un lapin. Et puis non, j'aimais encore mieux un cheval.

Pour les cours d'équitation, il fallait attendre son tour parce qu'il y avait seulement deux chevaux. Mon tour à moi, il est venu cinq jours après le début du camp à cause de l'ordre alphabétique. J'aurais bien voulu m'appeler Sophie Aubin au lieu de Sophie Toupin, mais je ne pouvais rien y changer.

La veille de ma première leçon, j'ai rêvé que je survolais les nuages assise sur un cheval volant. En m'éveillant le lendemain matin, j'ai entendu un drôle de bruit, comme si des centaines de souris marchaient sur le toit. Je me suis précipitée à la fenêtre : il pleuvait à boire debout. J'ai pensé : « Ma leçon d'équitation est à l'eau... » J'avais envie de pleurer, mais il y avait bien assez d'eau comme ça.

Ce jour-là, on a fait des arts plastiques. Moi je suis très bonne dans les arts plastiques. J'étais en train de peindre un beau paysage avec un soleil pour oublier la pluie quand j'ai entendu des rires à la table d'à côté. Toujours prête à partager une bonne blague, je me suis approchée. David venait de terminer sa peinture : ça représentait un bonhomme aux cheveux jaunes dressés sur sa tête, la figure pleine de picots bruns. En dessous, c'était écrit « Sophie ». Tous les autres rigolaient, même Antoine. Mais ce n'était pas grave vu qu'Antoine n'est plus mon ami.

J'avais encore à la main mon pinceau dégoulinant de peinture rouge. Je me suis approchée de David et, avant qu'il n'ait eu le temps de réagir, j'ai peint plein de picots rouges sur ses joues et même sur ses lunettes en lui disant :

— Tiens ! Toi aussi tu as des taches de rousseur maintenant !

Ce n'était pas tout à fait vrai : il avait plutôt l'air d'avoir la rougeole. Il a voulu se jeter sur moi mais la monitrice l'en a empêché. Moi, elle m'a envoyée en pénitence à la cuisine où j'ai passé le reste de l'avant-midi à éplucher des pommes de terre.

L'après-midi, on nous a réunis dans la grande salle pour faire des jeux. On a joué à la chaise musicale, puis aux métiers, aux charades et à « Fais-moi un dessin ». Finalement, quelqu'un a proposé de jouer aux gages. Je ne connaissais pas ce jeu-là. Chacun donne un objet qu'il a sur lui : une bague, un lacet, un foulard. On mêle tous les objets dans une boîte. Puis on choisit une personne au hasard. Cette personne devient le roi ou la reine. On s'assoit en rond et le meneur de jeu tire chaque objet de la boîte en disant : « À qui appartient ce gage ? Que fera-t-il ? Que fera-t-elle ? »

Le roi (ou la reine) doit deviner à qui l'objet appartient, puis donner une pénitence à son propriétaire. Mais si le roi (ou la reine) n'a pas bien deviné, c'est lui (ou elle) qui doit accomplir la pénitence.

C'est David qui était le roi. Après avoir trouvé les propriétaires de quelques objets, il leur a donné des pénitences drôles, comme de faire une grimace ou de faire le tour de la salle à quatre pattes. Puis on a pigé une barrette en forme de crocodile : c'était à moi. Le roi dit :

— Celui ou celle à qui appartient ce gage devra embrasser la personne qui lui fait face.

Puis il a déclaré que la barrette appartenait à Cynthia. Il avait perdu : il devait donc exécuter lui-même la pénitence. Devinez qui lui faisait face ? Moi, Sophie.

David a rougi. Il a ôté ses lunettes et il les a remises. J'ai rougi. J'ai dit :

— C'est une pénitence stupide.

J'ai essayé de me sauver mais tous les autres m'ont poussée vers David en criant :

— Embrassez-vous ! Embrassez-vous !

Alors on s'est levés, on s'est dirigés l'un vers l'autre et on s'est embrassés très vite. Après, j'ai déclaré :

— C'était comme si j'avais embrassé César.

César, c'était l'un des deux chevaux du camp, le plus vieux et le plus laid. Tout le monde s'est mis à rire. J'ai ri moi aussi, mais je n'avais plus envie de jouer. Je suis sortie dignement. Dehors, la pluie avait cessé. Je suis allée du côté des animaux. J'ai pris un lapin dans mes bras pour le caresser. J'ai frotté mon visage contre le sien : il avait le nez froid. Je lui ai dit :

— Tu sais, c'était pas vrai qu'embrasser David, c'était comme embrasser César. C'était plutôt comme t'embrasser, toi…

7

LA LEÇON D'ÉQUITATION

Le lendemain, il faisait beau et c'était enfin le jour de ma première leçon d'équitation. J'étais si énervée que je ne tenais pas en place. Ça se passait dans un espace clôturé appelé « le manège », même si les chevaux n'étaient pas en bois. Le moniteur d'équitation, c'était Léo le vampire.

Vous pensez bien qu'à mon âge, j'avais déjà vu beaucoup de chevaux : il y en a plein dans les films de cow-boys à la télévision, et moi, j'adore les films de cow-boys. Mais des chevaux, je n'en avais jamais vu d'aussi près. C'est gros, un cheval. C'est très gros même, bien plus gros qu'un gros chien. Et quand on est assis dessus, c'est comme si on était assis sur un balcon au deuxième étage, sauf que ça bouge. Je n'avais pas peur, mais j'aurais voulu être ailleurs.

— Tu n'en aurais pas un plus petit, genre poney ? ai-je demandé à Léo, une fois perchée sur l'énorme cheval brun.

— Les poneys, c'est pour les bébés, a-t-il répondu. Tu verras, César est très gentil, hein, César ?

César a secoué la tête comme pour dire non, tout en valsant sur place. Moi, j'ai tiré sur les guides pour le faire cesser, mais il s'est mis à trotter en me secouant comme une vadrouille.

— Serre les jambes ! criait Léo en galopant à côté de nous.

Léo m'avait bien expliqué quoi faire avant de me laisser monter sur le cheval mais je ne me souvenais plus de rien. César a fait plusieurs fois le tour du manège : j'avais l'impression d'être dans une machine à laver. De plus, mon nez piquait terriblement mais je n'osais pas lâcher les guides pour me gratter.

Quand César s'est arrêté, je me suis mise à éternuer et à éternuer… Léo m'a fait descendre et m'a examiné le visage.

— Es-tu allergique aux animaux ? m'a-t-il demandé.

— À l'air quoi ? Atchoum ! ai-je répondu.

— Hum ! Va tout de suite voir l'infirmière.

À l'infirmerie, je me suis regardée dans un miroir en passant : j'avais les yeux tout enflés et larmoyants et des plaques rouges sur le visage. Je me sentais mal et je n'étais pas très belle à voir.

L'infirmière m'a fait prendre une pilule.

— Va te reposer, m'a-t-elle dit. Je te conseille de ne plus t'approcher des chevaux. Tu sembles faire partie des gens chez qui ces bêtes provoquent des crises d'allergie.

En sortant de là, je me disais : « C'est pas possible. Je ne peux pas être allergique aux chevaux. Si je suis allergique aux chevaux peut-être que je ne suis pas allergique aux poneys... » Je me voyais encore dans ma tête en train de galoper dans la prairie, les cheveux au vent. C'est surtout à cause des chevaux que j'avais voulu venir au camp Aventure. Sans les chevaux, le camp Aventure ne me disait plus rien. « Non, non, pensais-je, je suis peut-être allergique seulement à César... Ou plutôt je dois être allergique à autre chose... Je sais ! je dois être allergique aux vampires ! »

L'infirmière m'avait dit d'aller me reposer, mais j'avais seulement envie de raconter mes malheurs à quelqu'un. À côté de l'infirmerie, il y avait un bureau vide avec un téléphone. J'ai décidé de téléphoner à mon père; il n'était pas encore parti en vacances et puis, il serait plus facile à émouvoir que ma mère.

J'ai composé son numéro, mais j'ai eu son répondeur au bout de la ligne. J'ai donc laissé un message : « Papa, c'est moi, Sophie. Je t'appelle du camp Aventure. Le camp Aventure, c'est pas si drôle que je pensais. Le matin on mange du gruau et moi je déteste ça (ouache! ergh!).

« Il y a un garçon qui s'appelle David; il s'est battu avec moi et moi je me suis battue avec lui. J'ai des bleus sur les jambes et des égratignures sur les bras sans compter les piqûres de maringouins et Antoine n'est plus mon ami.

« J'ai eu une leçon d'équitation et le moniteur était un vampire et le cheval était trop gros. Je ne sais pas si c'est à cause du cheval ou du vampire, mais je suis bien malade; j'ai les yeux tout rouges et le nez qui pique et j'éternue tout le temps et je ne pourrai plus aller à cheval et sans ça, le camp Aventure, ça ne vaut pas la peine.

« Je pense à toi tout le temps même la nuit pendant mes cauchemars. Viens me chercher. » Là, je me suis mise à pleurer pour vrai et j'ai raccroché.

Après je me sentais mieux; ça fait du bien de pleurer un bon coup. Les autres étaient tous en train de jouer à des jeux ou de chercher des plantes ou des insectes. Avec mes yeux rouges et mon visage plein de plaques, je n'avais aucune envie de les rejoindre. En sortant de l'infirmerie, j'ai aperçu un beau petit sentier dans le bois derrière la maison des moniteurs. On aurait dit qu'il m'invitait. Je m'y suis dirigée.

8

LES SIGNES MYSTÉRIEUX

Comme c'était calme dans le bois! Je n'entendais que le cri-cri des criquets et le cric-crac de mes pas sur les aiguilles de sapin. Le soleil avait posé un peu partout des petites monnaies dorées, mais il faisait plutôt sombre et je ne me sentais pas tout à fait rassurée. Quand on se promène en ville, on voit toujours loin devant soi, même dans les parcs, parce que les arbres ne sont pas tassés. Mais quand on se promène dans la forêt pour vrai, où les arbres sont presque aussi proches les uns des autres que les maisons en ville, il y a plein de coins d'ombre où toutes sortes de créatures peuvent se cacher. On rencontre souvent des méchants ou des bêtes féroces dans les sombres forêts : c'est comme ça dans bien des histoires. C'est pour ça que je m'avançais tout doucement, en regardant bien tout autour au cas où...

Tout à coup, j'ai aperçu un dessin tracé à la craie bleue sur le tronc d'un bouleau. Ça représentait une soucoupe volante sous laquelle une flèche semblait indiquer une direction vers la droite. Je me suis pincée pour me convaincre que je ne rêvais pas. Ce dessin, il avait sûrement été tracé par des extra-terrestres : la soucoupe volante en était la preuve. Ils essayaient de communiquer avec nous, les humains.

J'ai regardé dans la direction indiquée par la flèche. J'ai vu quelque chose bouger dans le sous-bois à environ quinze mètres du sentier. De plus, les branches étaient brisées et l'herbe avait été piétinée sur la distance menant à cet

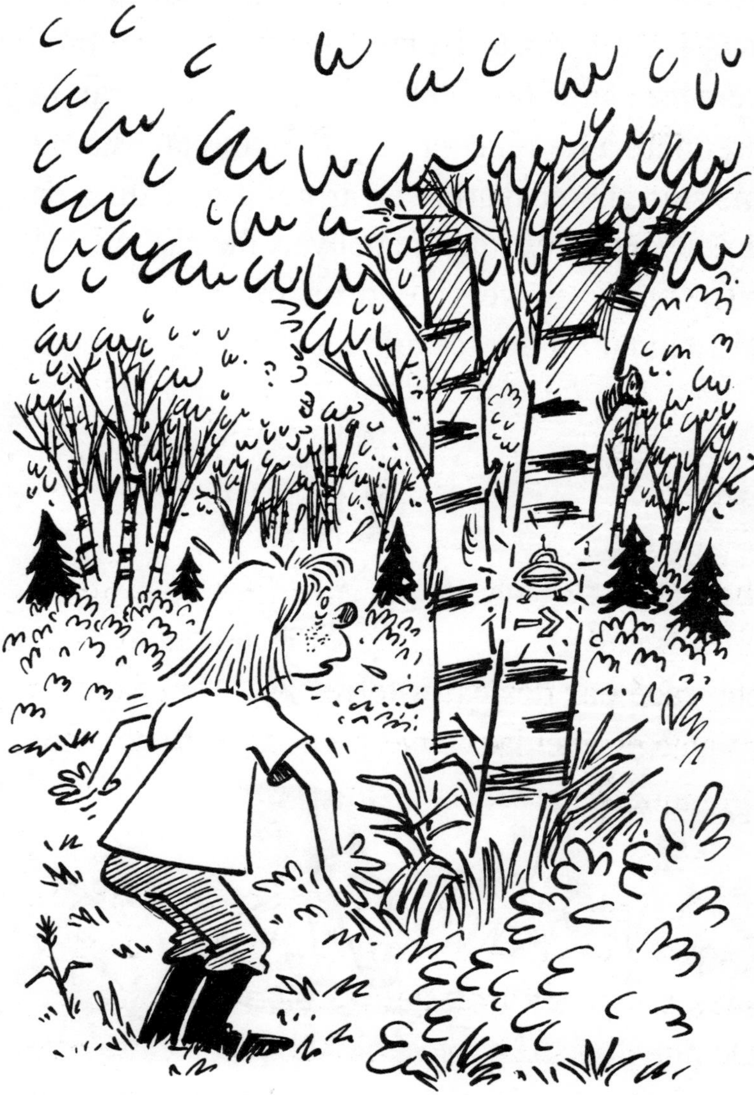

endroit. « Les extra-terrestres sont par là, me suis-je dit le coeur battant. Je vais avancer bravement dans la sombre forêt et je serai la première à les rencontrer. » J'ai suivi la piste. Je me suis glissée d'arbre en arbre jusqu'à un gros érable derrière lequel je pouvais me cacher. J'ai risqué un oeil vers l'endroit où ça bougeait, m'attendant à apercevoir un robot ou un petit

homme vert. Ce n'était que David avec ses lunettes, sa boîte à insectes et son filet à papillons. Il était en train d'examiner un tronc d'arbre, le nez collé sur l'écorce à cause de sa myopie. Sans le faire exprès, j'ai fait craquer une branche. Aussitôt, David s'est redressé d'un bond.

— Qu'est-ce que tu fais ici? avons-nous demandé presque en même temps.

— Moi, je courais après un scarabée, s'est empressé d'expliquer David.

— Moi, je cherchais... heu... de l'herbe à puce, ai-je bafouillé.

— Quelle idée! Ah! je comprends : c'est sans doute pour jouer un tour à quelqu'un.

— Heu... peut-être. Tu l'as trouvé, ton scarabée?

— Non, je n'ai rien trouvé d'intéressant, dit-il en appuyant son dos sur l'arbre de façon à cacher ce qu'il était en train d'examiner avant mon arrivée.

— Qu'est-ce qu'il y a sur ce tronc d'arbre?

— Sur ce tronc d'arbre? Rien…

— Pousse-toi un peu que je voie ce rien.

Là-dessus, David s'est mis à ricaner.

— Une vraie fille! Le nez fourré partout!

Mais qu'est-ce qu'il avait contre les filles, cette espèce de singe à lunettes! Cette fois, il n'allait pas me faire perdre mon sang-froid.

— Oui, j'ai le nez fourré partout, comme tu dis. Je suis curieuse, et ce n'est pas un défaut, c'est une qualité.

J'allais lui tourner le dos quand il a un peu bougé. Alors j'ai pu voir un bout de dessin sur l'arbre : ça ressemblait drôlement à la soucoupe volante que j'avais vue dessinée sur le bouleau au bout du sentier, sauf que la flèche pointait vers le bas. J'ai regardé au pied de l'arbre : j'ai vu un caillou plat qui dépassait du tapis d'aiguilles de sapin : il y avait quelque chose d'écrit dessus. Je me suis baissée pour l'examiner mais David a été plus rapide. Il a ramassé le caillou et s'est caché derrière l'arbre.

— Hé ! Donne-moi ce caillou ! Je l'ai vu la première !

— Ha ! Ha ! Tu n'avais qu'à le prendre. Maintenant, il est à moi, dit-il en détalant.

J'ai eu beau courir, je n'ai pas pu le rattraper : il faut dire qu'avec ses longues jambes de girafe, il avait l'avantage pour sauter par-dessus les buissons. J'ai dû revenir bredouille, furieuse d'avoir été doublée par un garçon aussi prétentieux. «Je vais lui montrer de quoi je suis capable ! me disais-je en rentrant au camp. Peut-être que je ne pourrai pas gagner un chou en ruban pour l'équitation, mais je vais m'arranger pour être la première à rencontrer les extra-terrestres. » Pour cela, il fallait que je mette toutes les chances de mon côté. Il fallait absolument que je récupère le caillou que David m'avait enlevé.

Ce soir-là, j'ai attendu que les autres soient bien endormies, puis je me suis levée, je me suis habillée et je me suis glissée hors du dortoir des filles.

9

L'EXPÉDITION

Dehors, les grenouilles et les criquets faisaient leur musique qu'on ne peut pas arrêter en tournant un bouton comme pour la radio. Il faisait chaud et très humide. D'énormes nuages noirs roulaient dans le ciel. Je ne me sentais pas très brave mais j'avais une mission à accomplir. « Courage, ma fille », me suis-je dit en fonçant dans la nuit vers le dortoir des garçons.

Antoine m'avait pointé la fenêtre de sa chambre. Je savais que David la partageait; je me suis

donc dirigée de ce côté. La fenêtre n'était pas très haute : j'ai pu l'atteindre en grimpant sur un rocher. Elle était ouverte mais défendue par un grillage un peu rouillé. J'ai libéré les crochets en utilisant un petit bout de branche. J'ai enlevé le grillage; ensuite, je n'ai eu qu'à grimper sur le rebord pour sauter dans la chambre occupée par quatre garçons. Ça ronflait là-dedans !

Mais de ces quatre lits, les deux du haut et les deux du bas, lequel était occupé par David? Et laquelle des quatre armoires était la sienne? Je n'avais pas le choix : il fallait que je fouille. Dans la première armoire, j'ai mis la main sur quelque chose de froid et de remuant. J'ai failli crier mais un petit coup de lampe de poche m'a permis de reconnaître Hortense, la couleuvre d'Antoine : je l'ai un peu flattée pour la calmer. Je suis passée à l'armoire au-dessus. Là, j'ai renversé un pot d'où se sont échappées des « bibittes ». Hourra ! c'était bien l'armoire de David. Sous une pile de vêtements, j'ai senti un objet dur : je m'en suis emparée. Il fallait que je

me sauve au plus tôt car ça commençait à bouger dans les lits. Il ne me restait plus qu'à sortir par la fenêtre pour m'échapper du dortoir des garçons.

Malheureusement, en sautant, la poche arrière de mon jean s'est prise dans le crochet prévu pour retenir le grillage et je me suis retrouvée suspendue dans le vide. Au même moment, j'ai vu un éclair, j'ai entendu un coup de tonnerre et il s'est mis à pleuvoir très fort. Pendant que je gigotais sous la pluie pour me libérer, j'ai vu une silhouette brillante sortir de la maison des moniteurs. Vous me direz, une silhouette, c'est noir, mais je vous jure que celle-là, elle brillait dans le noir. Une voix a crié :

— Hé! Qu'est-ce qui se passe là-bas?

La silhouette lumineuse s'est approchée en courant. Pendant ce temps, la poche de mon jean se déchirait lentement. Au moment où j'ai finalement plongé dans le buisson d'aubépines, j'ai aperçu un être chauve revêtu d'une combinaison brillante.

— Un extra-terrestre! ai-je eu le temps de murmurer avant de perdre connaissance, car ma tête était entrée en collision avec le rocher.

Je me suis réveillée sur un sofa dans la maison des moniteurs. Le vampire était penché sur moi, une serviette mouillée à la main. J'ai crié :

— Non! Ne me touche pas!

— Voyons, Sophie, c'est moi, Léo. Te sens-tu mieux?

— Où est l'extra-terrestre?

— L'extra-terrestre? Quel extra-terrestre?

Ou bien j'avais rêvé, ou bien le vampire n'avait pas vu l'extra-terrestre. J'ai décidé de ne pas insister.

— Tu peux marcher maintenant? Je vais te conduire à ta chambre. Demain, nous reparlerons de ton excursion dans le dortoir des garçons, a dit Léo en m'aidant à me lever.

Je l'ai suivi docilement, encore à moitié assommée. La pluie avait cessé et ça sentait bon dehors. Comme Léo sortait de la maison, un papier est tombé de sa poche. Je l'ai ramassé et, sans réfléchir, je l'ai gardé dans ma main.

J'ai regagné docilement ma chambre. Malgré ma chute, l'objet dérobé à David était bien au chaud au fond de ma poche. Ce n'était qu'un vulgaire caillou.

10

LES MESSAGES

Bien sûr, dès que j'eus regagné mon lit, je me suis empressée d'examiner le caillou sous mes couvertures. À la lueur de ma lampe de poche, j'ai vu qu'on y avait tracé les lettres suivantes : HZFEVA OZ GVIIV.

Quant au papier que Léo avait laissé tomber, c'était une carte du camp Aventure. Seulement, à l'endos, il y avait le dessin d'une soucoupe volante avec ces mots : « Recule pour avancer ». Qu'est-ce que tout ça pouvait bien vouloir dire ?

J'ai fini par m'endormir et j'ai rêvé qu'une soucoupe volante m'emportait dans l'espace.

Le lendemain, après le petit déjeuner, j'ai été convoquée chez Isabelle, la monitrice en chef.

— Qu'est-ce qu'on va faire de toi, Sophie? m'a-t-elle demandé. Et d'abord, qu'est-ce que tu fabriquais dans le dortoir des garçons?

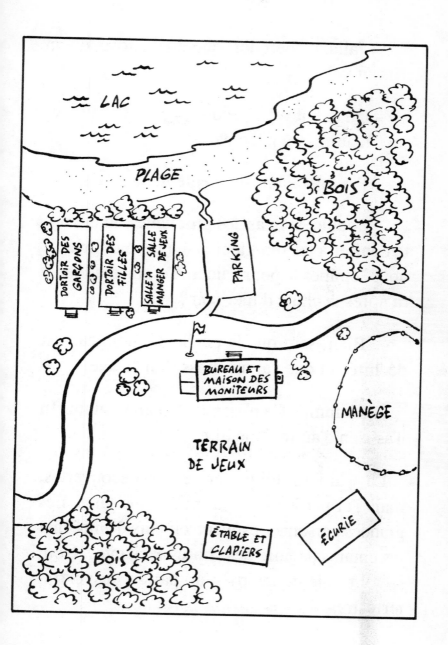

95

— J'allais chercher quelque chose qu'on m'avait volé.

— On t'avait volé quelque chose ? C'est grave ça. Tu aurais dû m'en parler.

— Pas la peine. C'est réglé maintenant.

— Sophie, si tu as des problèmes, tu devrais te confier à tes moniteurs ou à tes monitrices : nous sommes là pour t'aider. Comment te sens-tu après ta chute d'hier soir ?

— Bien, sauf que la poche de mon jean est déchirée et que j'ai une bosse sur la tête.

— Humm… Ce n'est pas trop grave alors. Tu n'as rien d'autre à me dire ?

Là, j'ai failli lui parler de mes découvertes, mais j'ai pensé : « Il vaut mieux me taire. Les grandes personnes essaient toujours d'empêcher les enfants de faire des choses excitantes. Non, il vaut mieux ne pas lui parler des extra-terrestres. »

Elle m'a laissée partir en me recommandant de respecter le règlement. Ce jour-là, je n'arrivais pas à m'intéresser aux activités du camp. Je pensais tout le temps au mystérieux message. L'après-midi pendant la baignade, j'étais en train de griffonner les lettres mystérieuses sur le sable de la plage quand Émilie s'est amenée à côté de moi en se secouant comme un petit chien mouillé.

— Hé! Attention! Tu m'as arrosée, ai-je protesté.

— Ben quoi? Tu es en maillot de bain, toi aussi. Qu'est-ce que tu gribouilles?

— Heu… c'est une sorte de casse-tête.

Elle a examiné mes gribouillis puis elle a dit:

— Ah! toi aussi tu as ramassé un caillou avec des lettres.

— Quoi! Tu veux dire que toi aussi…

— Oui. Je l'ai trouvé hier en nettoyant l'écurie. Comme je ne savais pas ce que c'était, alors je l'ai rejeté dans le foin.

— Tu l'as rejeté dans le foin? Mais où, plus exactement?

— Oh! près de la stalle de César.

— Émilie! Il faut absolument retrouver ce caillou!

— Tu n'as qu'à aller le chercher: moi, je retourne me baigner.

Le temps d'enfiler un chandail et un pantalon, j'ai couru vers l'écurie. Après l'éclatant soleil du dehors, l'intérieur du bâtiment m'a paru bien sombre. Ça sentait le foin et le fumier. Un des chevaux était dehors et César était dans sa stalle, ce qui m'a empêchée de fouiller à mon aise dans le foin. Je n'ai pas trouvé le caillou car bientôt, je pleurais et j'éternuais tellement que j'ai dû sortir de l'écurie à tâtons.

En sortant, je suis tombée dans les bras d'un monsieur qui me barrait le chemin. Après l'avoir examiné à travers mes larmes, j'ai constaté que ce monsieur était mon père.

— Qu'est-ce que tu fais là ? lui ai-je demandé.

— Sophie! s'est-il écrié, j'étais tellement inquiet après avoir écouté ton message sur mon répondeur.

— Ah! oui! Le message...

Je l'avais complètement oublié.

— Je suis venu aussitôt que j'ai pu, a-t-il continué. Je vois que tu n'avais pas exagéré : tu n'as pas l'air bien du tout.

— Oh! non! Atchoum! Ça va aller... Atchoum!

— Je viens de parler au moniteur en chef. Je t'amène à l'hôpital.

— Mais non! Atchoum! Il faut que je reste ici. Atchoum! à cause des extra-terrestres...

— Ma pauvre petite fille, tu es encore plus malade que je pensais. Viens.

Avant d'avoir eu le temps de protester, j'étais déjà dans sa voiture et nous filions sur la grand-route. À l'hôpital, on a attendu assez longtemps, ça fait que j'ai eu le temps de raconter à mon père tout ce qui m'était arrivé d'extraordinaire depuis deux jours, tout en éternuant et en me mouchant. Je lui ai même montré le caillou et la carte. Il les a examinés en souriant.

Enfin, un médecin m'a donné une piqûre en me recommandant de ne plus m'approcher d'aucun cheval. Après, je me sentais beaucoup mieux.

J'ai dit à mon père :

— Maintenant, je sais que je ne pourrai jamais galoper dans la prairie sur le dos d'un superbe cheval. Ce n'est pas drôle d'être handicapée...

— C'est bien dommage, a répondu mon père, mais il y a des handicaps pires que celui-là.

— C'est vrai, ai-je conclu. Ce serait pire si j'étais aveugle, sourde, muette et boiteuse...

Il était assez tard, alors on est allés manger dans un restaurant. Pendant le repas, mon père m'a dit :

— Qu'est-ce que c'est que cette histoire de moniteur vampire ?

— Oh ! je ne pense pas que Léo est un vrai vampire. Il a juste les dents un peu croches.

— Ah ! bon... Parle-moi donc de ton ami Antoine, maintenant.

— Antoine, c'est plus mon ami, ai-je répondu en m'étouffant avec une bouchée de tarte.

Même que mon père a dû me taper dans le dos pour me « détouffer ».

— Alors Antoine, n'est plus ton ami, a-t-il continué en se rassoyant. Peux-tu me dire pourquoi ?

— Parce qu'il n'aime plus les filles. Lui et son copain David, ils sont toujours ensemble et ils passent leur temps à se moquer de nous, je veux dire de moi et de mes copines. Mais ça ne me fait rien parce que moi, maintenant, j'aime rien que les filles. J'ai une nouvelle amie : elle s'appelle Émilie.

— C'est une bonne nouvelle, ça. Tu sais, à ton âge, les filles et les garçons passent souvent par une phase où ils se sentent mieux avec des copains du même sexe.

— Maman dit toujours ça, que je passe par une phase. J'ai hâte d'en avoir fini avec les phases. En tout cas, c'est pas David qui va découvrir les extra-terrestres. Il se croit bien fin parce qu'il est un garçon, mais moi, j'ai le caillou et j'ai la carte avec le message.

— Sophie, tu y crois vraiment à ces extra-terrestres ?

— Bien sûr ! Et je veux être la première personne humaine à les rencontrer. Et je vais leur demander de m'amener faire un tour sur leur planète.

— Tu sais, Sophie, d'après les savants, s'il existe des planètes habitables, elles seraient à plusieurs années-lumière de la terre. Ça veut dire qu'il faudrait plusieurs années pour y aller et en revenir.

— Tant mieux : comme ça, je passerai par-dessus la phase de l'âge bête. Maman dit toujours qu'elle n'a pas hâte que j'arrive à cet âge-là.

— Et tu es certaine qu'il y a des extra-terrestres dans les parages ?

— Bien sûr ! Je crois même en avoir aperçu un l'autre soir. De plus, tu as vu le caillou : c'est une preuve, ça. La seule chose que je n'arrive pas à comprendre, c'est ce qui est écrit sur la carte : « Recule pour avancer ». C'est dangereux de marcher à reculons.

— Hum… ça ne concerne peut-être pas la façon de marcher. Montre-moi encore ce caillou.

Je l'ai sorti de ma poche. Nous avons examiné les lettres : HZFEVA OZ GVIIV.

— J'avais pensé qu'il s'agissait peut-être de mots écrits à l'envers, dit mon père, mais ça n'a pas de sens… Les lettres OZ doivent représenter un petit mot comme un le, la…

Tout à coup, c'est comme si une lumière s'était allumée dans ma tête.

— Supposons que OZ, ça veut dire LA… Hé ! Si Z, c'est A, c'est l'alphabet qu'il faut lire à reculons !

— Tu as peut-être raison. Essayons.

Aussitôt, mon père a écrit l'alphabet sur le napperon de papier, à l'endroit et à l'envers :

A B C D E F G H I J K L M N O P Q R S T U
V W X Y Z

Z Y X W V U T S R Q P O N M L K J I H G
F E D C B A

À l'aide de cette clé, j'ai pu traduire le message écrit sur le caillou; HZFEVA OZ GVIIV, ça voulait dire « Sauvez la terre ». Je me suis mise à sauter sur place.

— Vite ! Il faut que je rentre au camp Aventure. Les extra-terrestres ont sûrement laissé d'autres messages. Ils sont peut-être déjà là.

— Allons-y, a dit mon père en souriant.

11

LA RENCONTRE

Il faisait nuit quand on est revenus au camp Aventure. En sortant de la voiture, tout était étrangement calme. On aurait dit que l'endroit était désert : bien sûr, les campeurs devaient être au lit, mais d'habitude, les monitrices et les moniteurs flânaient aux alentours jusqu'à une heure plus avancée. J'allais me diriger vers mon dortoir quand j'ai aperçu des lumières qui bougaient dans les bois.

— Papa ! regarde par là, me suis-je écriée. Qu'est-ce que ça peut bien être ?....

— Peut-être un feu de forêt… Pourtant non, ça ne sent pas la fumée.

— C'est eux! C'est les extra-terrestres! Viens avec moi, dis-je en tirant mon père par la main en direction des lumières.

— Attends, j'ai une meilleure idée, chuchota-t-il. On va prendre la voiture et faire le tour par la route. Ce sera plus court.

Aussitôt dit, aussitôt fait. On a rangé la voiture sur l'accotement et on s'est avancés sur un sentier, guidés par les lueurs de plus en plus brillantes. L'air était lourd et humide. On entendait, à travers le chant des criquets et des grenouilles, une sorte de musique céleste. Après un détour, on a aperçu une trouée au bout du sentier. On s'est avancés comme des somnambules. À la lisière des arbres, un spectacle extraordinaire nous attendait : au milieu d'une clairière, une magnifique soucoupe volante était posée. Elle était de couleur verdâtre et phosphorescente. Des lumières de diverses couleurs

clignotaient autour de ses hublots. Sur une plate-forme devant le plus grand des hublots, deux extra-terrestres se déplaçaient. Ce n'étaient pas des petits hommes verts ; ils ne ressemblaient ni à des insectes, ni à des robots. Ils étaient assez semblables à des humains, sauf qu'ils avaient la tête chauve et portaient une combinaison aux reflets métalliques. J'étais tellement ébahie que j'en étais clouée sur place. Ils étaient en train de parler. J'ai baissé les yeux pour voir à qui ils s'adressaient : j'ai alors aperçu tous les campeurs assis dans l'herbe. J'étais bien déçue de n'être pas la première à avoir découvert les extra-terrestres. J'ai quand même prêté l'oreille à ce qu'ils disaient :

— Votre planète est l'une des plus belles de l'univers.

— Mais vous êtes en train de tout gâcher.

— Vous polluez votre atmosphère.

— Vous salissez vos lacs, vos rivières, vos océans.

— Vous serez bientôt envahis par vos propres déchets.

— C'est à vous, les jeunes, de réagir.

— Nous, vos amis de l'espace, nous sommes venus vous aider.

— Nous vous avons laissé des messages. Quels sont ceux d'entre vous qui les ont trouvés?

À ma grande surprise, une vingtaine de campeurs se sont levés. Ils tenaient tous un caillou à la main.

— Je vois que vous êtes nombreux, reprit l'extra-terrestre. Maintenant, quels sont ceux qui sont arrivés à décoder leur message?

Un seul campeur s'est avancé: c'était David. Alors j'ai couru pour monter avant lui sur la plate-forme. On s'est un peu bousculés devant la première marche.

Alors un extra-terrestre a dit :

— Hé ! vous deux ! donnez-vous la main et venez ensemble.

Il a bien fallu qu'on obéisse.

— Que disait ton message, Sophie ?

— « Sauvez la terre. »

— Et le tien, David ?

— « Les arbres sont vos amis. »

— David, veux-tu expliquer aux autres comment tu as pu décoder ton message ?

Pendant que David racontait comment il avait trouvé la clé, je me disais : « C'est drôle ça, ils connaissent nos noms... »

— Bravo ! a conclu l'extra-terrestre. Maintenant, tous ceux qui ont trouvé des cailloux pourront décoder les messages concernant l'environnement. Vous irez les écrire au tableau dans la grande salle. Ceux qui auront inscrit correctement un message auront droit à un prix. Quant à Sophie et à David, ils ont bien mérité les deux premiers prix.

L'extra-terrestre nous a alors remis à chacun un petit appareil de couleur jaune. Je pensais que c'était une sorte de radio pour communiquer avec leur planète, mais David s'est écrié :

— Wow ! Un baladeur ! j'en voulais justement un.

L'extra-terrestre s'adressait maintenant au reste des campeurs :

— Le spectacle est terminé. Regroupez-vous autour de vos moniteurs pour retourner au camp. Des rafraîchissements vous attendent au réfectoire.

Tout à coup, j'ai cru reconnaître cette voix. J'ai regardé l'extra-terrestre de plus près : il avait des dents qui avaient l'air de vouloir sortir de sa bouche. Et la dame extra-terrestre à côté de lui, elle était plutôt grassette et sous son maquillage verdâtre, on pouvait voir des taches de rousseur. S'ils avaient la tête chauve, c'est qu'ils portaient des sortes de cagoules en tissu métallique. D'un seul coup, j'ai reconnu Isabelle et Léo. J'ai examiné la soucoupe volante : elle était en plastique avec des ampoules d'arbre de Noël autour des hublots.

Je me suis sentie insultée, comme le jour où ma mère m'avait avoué que le Père Noël, c'était pas vrai. Je ne voulais pas pleurer mais j'ai senti des larmes rouler sur mes joues.

David a mis sa main sur mon épaule.

— Hé Sophie ! pourquoi fais-tu cette tête-là ? Tu croyais peut-être que c'étaient des vrais extra-terrestres ?

— Oh! toi! laisse-moi tranquille! Tu t'es moqué de moi! Tout le monde s'est moqué de moi!

— Tu te trompes, Sophie. Avant cet après-midi, personne n'était au courant du grand jeu.

— Le grand jeu?

— Mais oui! À la fin de l'après-midi, Léo nous a réunis pour lancer le grand jeu; cette année, les moniteurs n'étaient pas déguisés en pirates mais en extra-terrestres. Léo nous a distribué des cartes du camp avec des X aux endroits où on pouvait trouver des messages. La clé du code, «Recule pour avancer», était inscrite à l'endos de la carte. Tout le monde a cherché... Plusieurs ont trouvé des cailloux avec des messages, mais personne n'arrivait à les traduire. Et ce soir, on nous a amenés dans le bois pour y rencontrer les extra-terrestres. Là, ils ont joué une pièce de théâtre qui parlait de l'environnement... Tu connais la suite.

— Hum… quand j'ai aperçu un extra-terrestre l'autre soir, ils devaient être en train de répéter la pièce…

— Mais comment se fait-il que tu n'étais pas là quand on a lancé le grand jeu?

— Oh! ce serait trop long à t'expliquer.

— En tout cas, tu es très forte: tu as été la première à trouver un caillou, avant même qu'on ait distribué les cartes avec les emplacements des indices.

— Ouais… et qu'est-ce que ça m'a donné? J'ai été la dernière à découvrir les extra-terrestres, et c'était même pas des vrais.

Je lui ai tourné le dos avant de me remettre à pleurer et j'ai suivi les autres sur le sentier.

— Hé! s'est écrié David, demain, veux-tu venir à la chasse aux libellules avec moi et Antoine?

«Quoi! me suis-je dit, il m'invite à me join-
dre aux garçons! Je suis donc remontée dans
son estime. » Je lui ai répondu en hâtant le pas.

— Hum! je ne sais pas… Je préfère les arai-
gnées venimeuses aux libellules.

* * * * * *

Mon père était revenu au camp en voiture. Il
m'attendait près du réfectoire.

— Viens-tu te promener un peu? m'a-t-il
demandé.

On s'est dirigés vers la plage. Il y avait plein
d'étoiles dans le ciel : à la campagne, il y en a
bien plus qu'en ville. La lune se mirait dans le
lac. Tout était si calme que je me suis calmée
moi aussi. J'ai dit à mon père :

— On est bien ici.

Il m'a prise par la main.

— C'est vrai. Quand on regarde les étoiles, on ne peut pas s'empêcher de rêver à d'autres mondes, à d'autres êtres qui nous observent peut-être depuis leur lointaine planète.

— Tu dis ça pour me consoler. Quand je t'ai montré le caillou, tu savais bien qu'il ne venait pas des extra-terrestres, hein ?

— Pour être franc, je me suis douté qu'il s'agissait d'un jeu.

— Pourquoi tu ne me l'as pas dit ?

— Parce que tu voulais tellement y croire à tes extra-terrestres. Je pense qu'il faut aller jusqu'au bout de ses rêves, même si on risque d'être déçu. Et puis, il est bien possible qu'un jour des créatures d'un autre monde débarquent vraiment sur la terre.

— Alors, toi aussi, tu crois aux extra-terrestres ?

— Bien sûr! Beaucoup de gens y croient. De grands savants ont même écrit des livres là-dessus.

— Alors, tu ne vas pas rire de moi parce que j'y ai cru?

— Au contraire, je suis très fier de ma grande fille qui a tellement d'imagination. Si tu as cru que les comédiens de la pièce étaient de vrais extra-terrestres, c'est que tu avais très envie d'en rencontrer. Tu avais déjà imaginé cette rencontre dans ta tête.

— C'est vrai, ça. Je vois tout le temps des choses dans ma tête. Quand j'aperçois un cheval, je me vois galoper dessus habillée en cowboy. Quand je trouve un dessin de soucoupe volante, je vois déjà les extra-terrestres qui en descendent. Je me raconte tout le temps des histoires... Peut-être qu'un jour, j'écrirai des romans de science-fiction.

— Pourquoi pas? Les gens auront toujours besoin d'histoires. Ou bien peut-être que tu seras une astronaute qui ira à la conquête de l'espace, ou une savante qui découvrira un remède contre le cancer. Tu sais, l'imagination, ça ne sert pas seulement à inventer des contes; ça sert aussi à trouver des moyens de rendre le monde meilleur.

J'ai embrassé mon père.

— Je suis contente que tu sois venu. Tu es mon père préféré.

Il a serré ma main en souriant.

— Veux-tu que je te ramène en ville?

— Oh! non! demain, je vais à la chasse aux libellules avec David et Antoine. Et après-demain, on fait une excursion en canot jusqu'à un endroit qui s'appelle la Caverne du diable. Avec un nom pareil, sait-on ce qu'on va trouver…

Table des matières

L'auteure, Henriette Major

Henriette Major écrit pour les enfants depuis une trentaine d'années. Elle a été journaliste, scénariste pour la télévision et elle a publié une cinquantaine de livres au Canada et en France. Elle a aussi collaboré à des manuels scolaires. « Pour le moment, Sophie est mon personnage préféré, confie-t-elle. D'après les lettres que je reçois, les enfants aussi l'aiment beaucoup. »

L'illustrateur, Garnotte

Michel Garneau, qui signe Garnotte, a déjà fait de la bande dessinée. On peut voir ses dessins humoristiques dans le magazine « Croc » et dans le « Magazine des Expos ». Les enfants le connaissent pour son personnage « Stéphane, l'apprenti inventeur » dans le magazine « Je me petit débrouille ». « Moi aussi je suis tombé amoureux de Sophie », avoue-t-il.